これが モンジャ小学校《しょうがっこう》だ

おすしかめん サーモン

ようかい ダジャレ 小学校《しょうがっこう》

土門《どもん》トキオ・さく　川崎《かわさき》タカオ・え

ちゅうい
ものがたりの　なかに、ダジャレが　たくさん　出《で》てきますが、これらを　いうときには　じゅうぶん　ごちゅうい　ください。さむい　ダジャレで　友《とも》だちが　こおりつくことが　あります。

Gakken

モンジャ小学校《しょうがっこう》の　休《やす》み時間《じかん》。
校《こう》ていでは　人《ひと》や　どうぶつ、かいじゅうの
子《こ》どもたちが　楽《たの》しく　あそんでいます。
スシオも　マグろうや　タコ太《た》と
ボールあそびの　まっさいちゅう。

おーい　スシオ！
ボール、そっちに
行《い》ったぞ！

「ま、まって〜〜っ。」
うんどうの　にがてな　スシオは、
頭《あたま》の　サーモンを　ピラピラさせながら、
サッカーボールを　おいかけました。

えっ？　ここに入《はい》るの……？

ボールは、かこいを
こえて　林《はやし》の　おくへ
きえてしまいました。
そのとき、スシオの
かたを、だれかが
後《うし》ろから　ポンと　たたきました。

うわ〜〜っ!!
あ、なんだ、マグロうとタコ太《た》か……。
おそいよ。もうすぐ 休《やす》み時間《じかん》が おわってしまうだろ。
みんな 教室《きょうしつ》に もどっちゃったじゃないか

「だって こわくて……。」

おびえる スシオを 見《み》た マグロうたちは、
けっきょく 三人《さんにん》で ボールを さがすことにしました。

ちゅうい
ここでは
けっして
ダジャレを
いわないこと
あっ、あれは　なんだ？
ほっとけよ。だれかのいたずらさ。
で、でも……。

そんなことより チャイムが なる 前《まえ》に ボールを さがそうぜ！
ちょっとー
ササッ
わあ 草《くさ》が たくさん！
この 岩《いわ》 大《おお》きいわ～～～！
あわわっ！ ふたりとも ダジャレを いっちゃってるよ。
スシオは 大《おお》きな 岩《いわ》が うごきだしたのを 見《み》てしまい、 ぶるっと ふるえました。 そのことに マグろうと タコ太《た》は 気《き》づいていません。
ガガガ…

ガガガ
ここで　ダジャレは
やめなシャレ〜！

スシオも　みんなに　つられて、うっかり
ダジャレを　いってしまいました。
すると、どうくつを　ふさいでいた
岩《いわ》が　うごき――。

きょ大《だい》な　ようかいが　出《で》てきました。

そういうと、けむりのような　黒《くろ》い　かげは
うねりながら　校《こう》しゃの　方《ほう》に　きえていったのです。

ようかい　ふっか〜〜つ！
これから　わるさを
し**ようかい**〜〜っ！
わはははは〜〜っ！
な…
なんなの？
ヘタ

みんなが　おどろいていると
なみの　音《おと》が　聞《き》こえてきました。

スシがみじゃあ～～！
このスシバトンがしらせてくれたのだ
わしが　むかし　ふういんした　ようかい、**あんこく王《おう》ジャレダ**を　ふっかつさせて　しまったな。
ザブーン
ザブーン

「ジャレダは　人《ひと》を　あやつり、
むりやり　ダジャレを　いわせる
ようかいじゃ。ふっかつして
さっそく　大《おお》あばれしようと　しておる。
おすしかめんサーモンよ！
ジャレダを　食《く》いとめるのじゃ！」
「ええ～～？　ダジャレ　にがてなんだよね。
ボク……。」

スシオは　おすしかめんサーモンに
へんしんして　あくと　たたかう
せいぎの　ヒーローなのだ。くわしくは
「おすしかめん　サーモン　きょうふ！
なぞなぞニギリーランド」を　読《よ》んでね。
◀くろこ……どくしゃの
あんないやく

スシオくん、
いえ、おすしかめんサーモン！
さあ、行《い》きましょ！
マグろうくんや　タコ太《た》くんもよ！

後《うし》ろには　スシがみさまの
まごむすめ、カッパの
マッキーも　立《た》っていました。

あれ？
スシがみさまは
いっしょに　行《い》かないの？

あっ、わしか？　きょう　新《あたら》しい　ハンバーガーショップが　できたんじゃよ。げんていハンバーガー　買《か》わなくちゃ。じゃ、そういうことで！

あ、あのね。ちょ、まって……。

ボワワワ〜ン！

カッパの人《ひと》だ！

か、かかみさま…？

スシオたちが　林《はやし》から
出《で》ると、いつもの　校《こう》ていが
ひびわれた　ぶきみな
すがたに　なっていました。
カブトぶし
ヘコンドル
ダジャレようかいよ。
つかまらないように
校《こう》しゃに　のりこむわよ。
うわあ、
たくさん　いるな。
トランプ
スタート
同《おな》じ　道《みち》は　通《とお》れないぞ。

答《こた》えは　さいごの　ページ。
MONJA
ゴール
一《ひと》つ目《め》小《こ》ゾウ
おにオン
スモウとり

スシオたちは　ようかいを　さけながら
どうにか　校《こう》しゃに　たどりつきましたが……。

あっ！　モンジャ小学校《しょうがっこう》が　なんだか　おかしなことに　なってる！
ジャレダに　学校《がっこう》が　のっとられたのね。　見《み》つからないように　もぐりこまなきゃ。

すると、後《うし》ろから 地《じ》ごくの そこから ひびくような 声《こえ》が 聞《き》こえてきました。
ま～て～～！ おまえたち～ そこは～ 通《とお》さん**ゾウ**～～。

ゾウ山《やま》先生《せんせい》

ここからは かってに 通《とお》さんゾウ〜〜。
チャイムが なったの 気《き》が つかなくて。じゅぎょうが はじまっちゃいます。中《なか》に 入《い》れてください。
あ、先生《せんせい》の ようすが おかしい……。

ここは　ダジャレ小学校《しょうがっこう》だ**ゾウ**。
なぜ、**ダジャレあいことば**を　いわない？
ここの　子《こ》どもなら　みんなが
いえるはずだ**ゾウ**〜。

ネコが〜……？

あいことばって……？

いきなり、ゾウ山《やま》先生《せんせい》が　あいことばを
きいてきました。でも、みんなの　知《し》ってる
あのダジャレの　つづきを　いえば
よさそうだね。「**ネコ**が」と　いえば……。

いつのまにか
「モンジャ小学校《しょうがっこう》」は
「ダジャレ小学校《しょうがっこう》」に
されてしまったみたい。

「スシオくん、『**ねころんだ**』だってば！」

マッキーが、あわてて、いいなおしましたが、

とき　すでに　おスシ！

さては、おまえたち、ダジャレ小学校《しょうがっこう》の子《こ》どもじゃないな～。ダジャレが　いえない　わるい　子《こ》は、地《じ》ごくの　とっくんを　うけさせるゾウ～！
パオ～～ン！
ゾウ山先生《やませんせい》は、みんなを　かかえ、そのまま　校《こう》しゃへ　つれていってしまいました。
よし！　けっきょく　うまく　学校《がっこう》に　入《はい》れたわ！

「ここで　とっくんを　うけるんだゾウ〜！」
ほうりこまれたのは、　スシオの　クラス。
でも、「**なんでや年《ねん》　ダジャレ組《ぐみ》**」に
なって　います。
たんにんの
ファラ男《お》先生《せんせい》も
子《こ》どもたちも、
ようすが
へんです。

「あ〜！ やっぱり、先生《せんせい》が おかしい！」
スシオたちは、きょうふの
ダジャレべんきょうを する
はめに なってしまったのです。

みたらしだんごを見たらしい……

きみは貝をたべるかい……

竹は、せがたけー……

マクラをまくらないで……

車がくるまでまつ……

国道でへをこくどう……

バラがバラバラ……

もうふがもうふるい
ファラ男《お》先生《せんせい》
新入生《しんにゅうせい》か……。ダジャレが いえるように なるまで、ここからは ぜったい 出《だ》さん。

じゅぎょうが はじまると……。
さあ、はじめる算数《さんすう》をざんすう。みんな、5を 書《か》いて。ほ～ら、ごをかく（ごうかく）。
四角《しかく》を 書《か》いたら しっかくざんすう。
えいごの 時間《じかん》には、
えいごダジャレを いってみろ。
ネコが とびつき、キャッと おどろく。
ブタが 出《で》てきて ピッグリした。
水《みず》が のみたくて、うおーたまらん！
うおー
水
だいどころは キッチンと かたづけろ。
えいごでは ネコは 「キャット」
ブタは「ピッグ」 水《みず》は「ウォーター」
だいどころは「キッチン」というよ。

さあ、つぎの国語《こくご》は　テストだ。
プリントが　たっぷりんと　あるぞ。
なんですと〜!?

とにかく、なにから　なにまで　こんな
ちょうしで、すべて　ダジャレなのです。

ダジャレテスト

名前《なまえ》

左《さ》門《もん》スシオ

つぎの（　）の 中《なか》に、ことばを 入《い》れて ダジャレを 作《つく》りなさい。

①（　　　　）は、やすいか？

②（　　　　）を 見《み》たいよう。

③こわれた（　　　　）は ほっとけい。

④（　　　　）って、やっぱ じゃま。

⑤コンドルの 頭《あたま》が へ（　　　　）。

答《こた》えは つぎの ページの 下《した》に あるよ。

キミは　とけるかな？　これが
とけないようでは　ダジャレ小学校《しょうがっこう》の
せいとには　なれないぞ。

スシオは
なさけないことに、
いくら　考《かんが》えても
答《こた》えが　わかりません。

コソ
コソ
ねえ、いっそのこと
おすしかめんに
へんしんして
すいすい　もんだいを
といちゃおうか？
コソ
コソ
だめよ。やたらに　へんしんしたら、
目立《めだ》ってしまって、
ジャレダに　見《み》つかっちゃうでしょ。
みんなには
答《こた》えを
こっそり
教《おし》えるよ。
①すいか　②たいよう　③とけい　④パジャマ　⑤こんどる

こら、そこ！ **カンニング**は いかん**にんぐ**！
ジャ
後《うし》ろの ふたりも **かいとうらん**に なにも **書《か》いとらん**！ 四人《よにん》は おしおきだ！
ちょうど つぎは きゅう食《しょく》だし、 いいものを 食《た》べさせよう。
みんなには 答《こた》えを こっそり 教《おし》えるよ。

きゅう食当番《しょくとうばん》が　はこんで
きたのは　あやしげな　茶色《ちゃいろ》の
食《た》べものです。
さあ！
食《た》べろ！
ポイ
ポイ
うわあ〜っ！
それを　食《た》べた　マグろうと
タコ太《た》は　ほかの　子《こ》どもたちと
同《おな》じ　ひょうじょうに　なって
しまいました。
ホワーーン！
あーっ！
ふたりとも
どうしたの!?

さあ、つぎは おまえたちだ。

スシオは　スシがみさまに　もらった
ひみつの　ハイパーワサビを　とりだし、
頭《あたま》に　ひとぬりしました。
すると……。

スシオくん、やっぱり
へんしんしかないね！
まってました！
合点《がってん》だい！
ヌリ
ヌリ

ちゅうい「ハイパーワサビ」は とくべつな
わさびです。くれぐれも おうちに ある
わさびで まねを しないよう おねがいします。

おすしかめん
サーモォォオオーン!

へい！　おまち！
わたしが　来《き》たからには　スシかっては　させません！
な、なんだ～!?
みんなで　そいつを　つかまえるんだー！！
パシッ

つぎの　しゅんかん、クラスの　子《こ》どもたちが
いっせいに　ふたりに　おそいかかってきました。

てきと　いっても、
みんな　友《とも》だち。
きずつける　わけには
いかないでスシ……。

ふたりは　じりじりと
おいつめられてしまいました。
そのとき、ふと、手《て》に　ふれたものが！

秘技《ひぎ》！
チョークえんまく！
パパパパーン！

おすしかめんは　目《め》にも　とまらぬ　はやさで、
黒《こく》ばんけしを　強《つよ》く　たたきました。
すると、教室中《きょうしつじゅう》に　チョークの　こなが　もくもく
まいあがり、なにも　見《み》えなくなってしまいました。

よーし! おすしパワーぜんかい!
秘技《ひぎ》 こうそくかいてんダーッシュ!
ただ にげるだけでスシ!
ろう下《か》を 走《はし》ろうか!
まて〜!
よい子《こ》は まねしちゃ だめだよ!

おすしかめんは、マッキーの
手《て》を にぎり、ものすごい スピードで
走《はし》って 教室《きょうしつ》を だっしゅつ。

そして、かいだんを　上《あ》がると、
うすぐらい　へやに　とびこみました。
そこは　やくひんの
においに　みちた　理科室《りかしつ》。
「ここなら　あんぜんで**スシ**！」
「で、でも、なんか、ぶきみね……。」

そのとき、とつぜん、黒《くろ》い　かげが
ふたりに　おそいかかってきました。

オレは～　**のろいの** **人体《じんたい》もけい**だ～。ひるねの～　じゃまする　やつは　だれだ～。
よし、ここは　わたしが！
ジャレダを　見《み》つけるまで　パワーを　あんまり　つかっちゃ　だめ！

ま〜〜
では、ここはにげるがかちでスシ！
て〜〜。
あっ、のろいの人体《じんたい》もけいはうごきがのろいでスシ〜！

らくしょうでスシ！
あ！
ズテーン
いたたたた〜
あっ、ないぞうが〜
ないぞ〜〜。

なみだを　こぼす　人体《じんたい》もけいを　見《み》て、
おすしかめんは　ちょっぴり　かわいそうになりました。
「マッキーさん、ひろってあげましょう。」
「うん！」

ありがとう。オレの
名前《なまえ》は　ナイゾー。
ジャレダに　へんなものを
食《た》べさせられ、
あやつられていたんだ～。
だから
ダジャレばかり
いっていたのか。
さっきころんだとき
体《からだ》から　とびだしたのね
これで　あんしんして、
ねむれる。ありがとう～。
さあ　早《はや》く
ジャレダを
さがして、
みんなを　元《もと》に
もどしましょ！
ジャレダさまの
ところには　**イカ**せん！

とつぜん、ろう下《か》から　大《おお》きな　声《こえ》が
聞《き》こえたかと　思うと、おおぜいの　先生《せんせい》が
理科室《りかしつ》に　なだれこんできました。

トラ川先生《かわせんせい》
ふたりを
トラえるんだ〜!
イカ田先生《だせんせい》

クイ
クイ
つかまるもんか。
カモン、サーモン、
へい！　らっしゃい！
ひっさつ！
イクラ・フラ――ッシュ

こりゃイカん！
うああああ〜っ！

先生《せんせい》たちが　あわてふためいている　間《あいだ》に、
おすしかめんは　理科室《りかしつ》を　とびだしました。

そのへんに　いな**イカ**〜〜〜!!

おこった　イカ田《だ》先生《せんせい》の
どなり声《ごえ》が　そこまで
聞《き》こえてきます。

トイレ
これいじょうパワーを
へらせないし……
とりあえず
あそこに
かくれるで**スシ**。

ンギギギギィー……
しまった！
女子《じょし》トイレ！

ふたりが　とびこんだのは、うすぐらく
ぶきみな　トイレ。

すると、とつぜん、入《い》り口《ぐち》から　三番目《さんばんめ》の
トイレの　ドアが　ひとりでに　ひらいたのです。

ジャレダめ。
アタシを　つかまえに
きたのね～。
えーーい！　ペーパー地《じ》ごく‼
うわああーーっ！
わたしは　わるものじゃ
ないでスシ～～‼

あなた、モンジャ小学校《しょうがっこう》の　トイレにすむ、トイレの　花子《はなこ》さんね！　やめて！　この人は　わるものなんかじゃないの！　せいぎの　ヒーローなの！
えっ、せいぎのヒーロー!?
そうでスシ！　わたしは　あんこく王《おう》ジャレダから　みんなを　すくいに　きたのでスシ。

そのとき、先生《せんせい》たちの足音《あしおと》がどんどん近《ちか》づいてきました。

この トイレにいるんじゃな**イカ**～!?

「まずい！ **イクラ**なんでも、このままじゃ、たたかえないで**スシ**……。」

「おい！　かくれようと　しても　そうは　イカんぞ。」
先生《せんせい》たちが　ろう下《か》から　ずかずかと　トイレに
入《はい》ってきました。

な、なんだ⁉ ファラ男先生《おせんせい》じゃないですか。そうなら そうと 早《はや》く いってくれれば……。

えっ⁉ そ、そう……。わたしは ファラ男《お》ですよ！ あやしいやつなら 三《さん》がいの トイレで 見《み》たでスシ。そっちを さがしといれ！

いそげ！ 三《さん》がいへ イカんか！

は、はじめから こういう さくせんサーモン！

イカ田先生《だせんせい》は トイレットペーパーで ぐるぐるまきの おすしかめんを 見《み》て、なかまの ファラ男先生《おせんせい》と かんちがい したんだね。

先生《せんせい》たちは　あわてて　行《い》ってしまいました。
「アタシは　**トイレの花子《はなこ》**。　さっきは　ごめんなさい。
あなたたちを　ジャレダの　なかまかと……。」
「あっ、いや、こっちこそ　たすかったで**スシ**。
わたしは　おすしかめんサーモン！」
「わたしは　マッキー！」

わたし、トイレに　かくれて　たすけを
まっていたの。ジャレダは　学校《がっこう》の　みんなを
つぎつぎに　なかまに　して　**「友《とも》だちふえた」**
なんて　いってた。きっと　ひとりが　いやな
さびしがりやさんね。ジャレダって……。

ねえ、おすしかめん！　この　学校《がっこう》の
みんなを　たすけて！　アタシも
きょうりょくする！

「よーしっ！　みんなで　ジャレダを　たおそう！
なかまは　多《おお》いほど　いいで**スシ**！」
こうして、おすしかめんと　マッキーは、
トイレの花子《はなこ》さんの　手を　とり、
モンジャ小学校《しょうがっこう》の　へいわの　ために
立《た》ちあがったのです。

休《きゅう》けいコーナー

目《め》が　つかれた　人《ひと》は　ここで　いちど　休《やす》もう。

それにしても、ジャレダは　どこに　いるのかしら……。

給食室《きゅうしょくしつ》
あっ、いいかおり！

そういえば、お昼《ひる》　食《た》べてなかったでスシ～～。まずは　はらごしらえで　ありまスシ！

グ～

ちょう理場《りば》の　テーブルには
いなりずしや　**のりまき、**
わらびもちなど
おいしそうな　ものが
いっぱい　ならんでいます。
「うわあ〜！　いただきま〜〜す！」
おすしかめんたちが　思《おも》わず　手《て》に　とり、
食《た》べようとしたとき。
ろう下《か》から　人《ひと》の　気《け》はいが　しました。

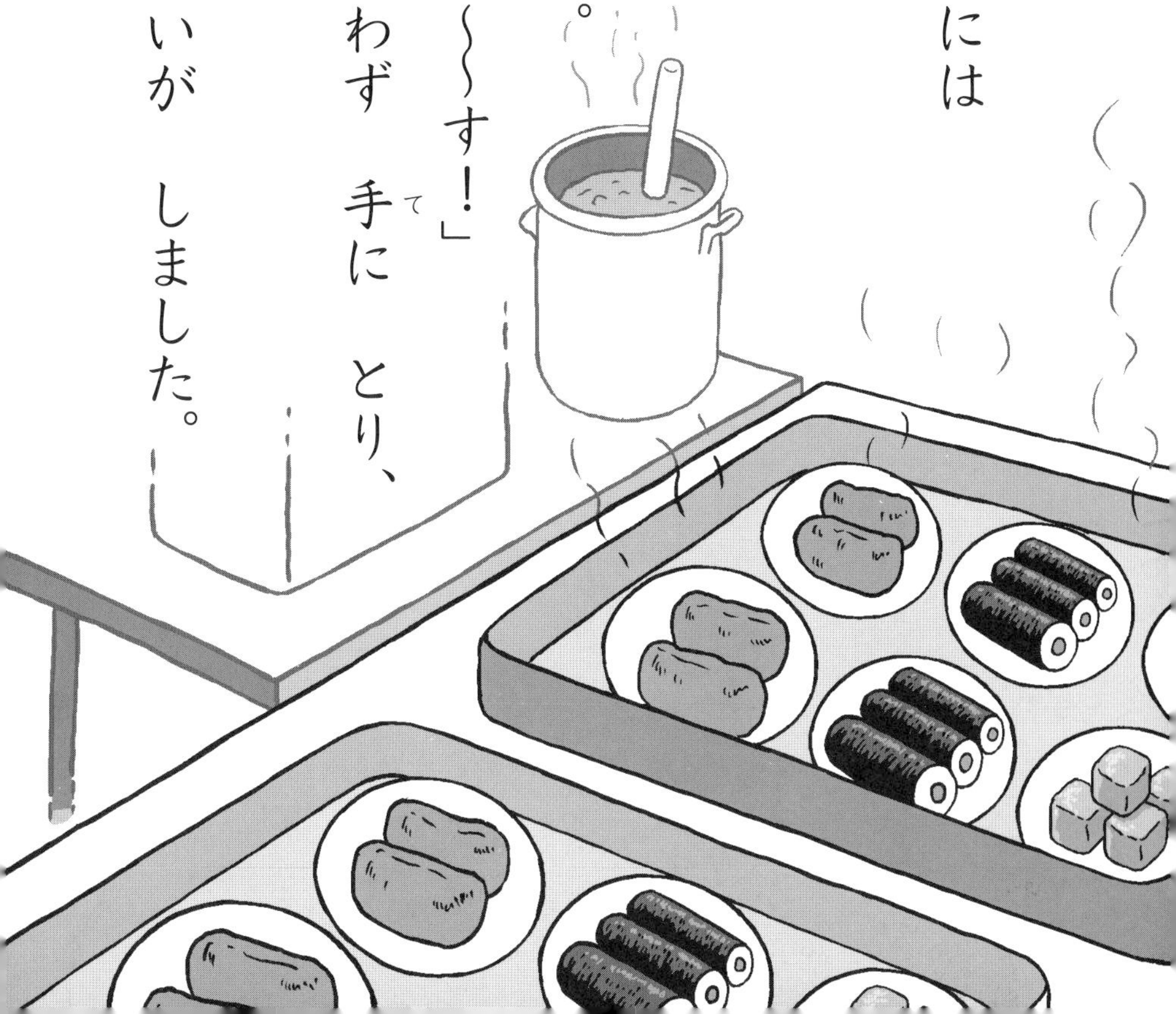

「まずい！　ロッカーに　入《はい》ろっかー。」
おすしかめんたちは　あわてて、みを　かくしました。
「さあ、休《きゅう》けいは　おわりだよ。いそいで
れいの　きゅう食《しょく》の　じゅんびを　しなくちゃ。」
「そうそう、ヘマを　すると
ジャレダさまに
しかられる……。」
そういいながら、
ちょう理《り》いんの　おばさんが
ふたり　入《はい》ってきました。

それにしても、
この　イイナリずしは
こわいねえ。
食《た》べさせた　人《ひと》の　いいなりに
なっちゃうなんて。
ああ、ノリノリまきだって、
食《た》べれば　気分《きぶん》が　ノリノリ！
わらいもちなんか　つまらない
ダジャレでも　わらいだしちゃうんだから
おそろしいよ。

（そうか！　さっき　ナイゾーくんが　いっていたのが　あの　**イイナリずし**で**スシ**……。）

おすしかめんも　あやうく　食《た》べかけたことを　思《おも》いだし、ひやあせが　たらり。

「話《はなし》は　聞《き》かせて　もらった！　もう、**スシ**かってには　させないぞ！」

おすしかめんは、おばさんたちの　前《まえ》に　すがたを　あらわしました。

郵便はがき

料金受取人払郵便

大崎郵便局承認

9698

差出有効期間
令和5年
6月28日まで
(切手はいりません)

141-8790

102

東京都大崎局 私書箱67号
(株)学研プラス 幼児・児童事業部

おすしかめんサーモン
ようかいダジャレ小学校 係

※ご記入いただいた個人情報(ご住所やお名前)などは、商品・サービスのご案内、企画開発などのために使用させていただく場合があります。ご案内の業務を発送業者へ委託する場合もあります。個人情報の取り扱いについては、本の奥付をご覧ください。

アンケートに
ご協力
お願いしまスシ!

こちらでも随時、情報発信中!

学研児童書編集部
Twitter
@Gakken_jidousho

● 今後、新作のご案内や新企画のアンケート
お送りしてもよろしいですか?
(はい ・ いいえ)

● ハガキの内容をウェブサイト・広告物など
掲載させていただいてもよろしいですか?
(名前なしならよい ・ いいえ)

ご愛読ありがとうございます。
今後の良い本作りのため、アンケートにご協力お願いいたします。

の本を読んだ方の年れいと性別を教えてください。

小学（　　　）年生　／　男・女・無回答

こでこの本を知りましたか？（いくつでも）

1.書店　2.学校　3.図書館　4.人にすすめられて　5.雑誌・新聞
6.SNS（Twitter・Facebook・Instagram・その他）
7.ブログ・ウェブサイト　8.その他（　　　　　　　　）

の本をえらんでいただいた理由は？（いくつでも）

1.表紙がよかった　2.タイトルがよかった　3.絵がよかった
4.内容がおもしろそうだった　5.背表紙がよかった
6.帯の言葉にひかれた　7.ダジャレが好き
8.その他（　　　　　　　　）

なたが好きな本のタイトルを教えてください。

[　　　　　　　　]

おすしかめんサーモン」で、今後読んでみたい舞台、
トーリーなどがあれば教えて下さい。

[　　　　　　　　]

の本の感想をお聞かせください。著者へのメッセージも大歓迎です！

ご協力ありがとうございました。

ひえっ。ひみつを 聞《き》かれちまった～!!
これでも 食《た》べろ～！

サーモンテニス！
パクッ
パクッ
ひえええ〜〜っ！

イイナリずしを　食《た》べた　おばさんは
すなおに　なりました。
「ジャレダが　どこに　いるか　教《おし》えてくれ。」
「ぜん校《こう》しゅう会《かい》を　やるんで
体《たい》いくかんだよ。
でも、うわさだと、
ジャレダさまは　見《み》かけは
こわいけど、元《もと》は
やさしい　少年《しょうねん》だった
らしいよ……。」

おなか　すくから
これ　もって　お行《い》き
あ、ありがとう

バッハが
わらった。
バッハッハ！
音楽室《おんがくしつ》
先生《せんせい》の　いない
ところを　通《とお》って
いきましょ！
トイレ
きゅう食室《しょくしつ》
しん長《ちょう》を
しんちょうに
はかろう。
同《おな》じ　道《みち》は　通《とお》れないぞ。

おく上《じょう》に にもつを おくじょう。
この え本《ほん》は ええ本《ほん》だ。
図工室《ずこうしつ》
クレヨンを くれよん。
しょくいん室
ダジャレ組《ぐみ》
体《たい》いくかんへ

答《こた》えは　さいごの　ページ。

いくつもの　きけんを　のりこえ、
おすしかめんたちは　ついに
体《たい》いくかんへ　たどりつきました。

見《み》つからないように　しのびこむで**スシ**！
ドキドキ

三人《さんにん》が　おそるおそる　足《あし》を　ふみいれると、
すぐに　とびらが　しまりました。
「**しまった！**　とびらが　**しまった**で**スシ**！」

わあはははは……。
おまえらの　ことは
すべて　お見通《みとお》しジャ。

きみが　あんこ食《く》おう　ジャレダか！　あまいものを　食《た》べすぎでスシ。
ち、ちが～う！　あんこく王《おう》ジャレダジャ！　オレさまが　気《き》にしていることを　いうな～っ！

「どうでも　いいで**スシ**。それより、みんなを
すぐに　もどしなさい！」
「ふっ、友《とも》だち思《おも》いだな。だが、
みんなは　もう　オレさまの　なかまさ。もどして
ほしければ　**ダジャレたいけつ**を　しようじゃないか！
それに　かてたら、みんなを　もどしてやろう。
はんていするのは　オレさまの　ペットの……。」

ゲララじゃーーーっ！
じゃじゃじゃじゃ〜〜ん
これは　オレさまが　だいじゃ（だいじ）に している　大《だい》じゃ（大《おお》ヘビ）ジャ。こいつを　たくさん　わらわせた　ほうが かちジャ。ただし、つまらない ダジャレを　いったら、ゲララに　のみこまれるぞ！
だ、大《だい》じゃ〜〜!?

ジャレ

「まず この **ジャレノート**を うけとれ！」
ジャレダは おすしかめんに あやしげな
ノートを なげてよこしました。
「**『ジャレノート』**？」

「ノートに ダジャレを
書《か》くと それが 形《かたち》に なって
あらわれるんジャ。 これを
つかって しょうぶジャ〜ッ!!」

ああ、 このまま いくと、 ジャレダの
ペースに のまれてしまいそうです……。

カエルが
ひっくり
カエル

よし、こっちは ダジャレと **キュウリ**が すきな マッキーさんから いくで**スシ**！

えっ⁉ わたし？ そんな **キュウリ**（に） いわれても……。

さっそく いってる…

「え〜い、オレさまから いくぞ――っ‼」

カッパが **さらわれて** **さらわれた**――っ！

きゃあ〜っ！

キン
パ
ゲラ ゲラ

「あ～っ！ おさらが ないと
パワーが 出《で》ないわ。
なんとかしないと……。」
サラダの さらだ！
パクッ！
ああーーっ!!
マッキーさん!!

「よーし！　アタシが　かたきを　うつ！」
こんどは　花子《はなこ》さんの　番《ばん》です。

ブタが　ぶったーっ！
ボクサーは　ボクさー！
DAJA
ゲラ　ゲラ

ブタが かって、とんかつよ！
これなら どうジャ！ ワシの かちジャー‼
ウマが とんかつ 食《く》って うまかった‼
ガブッ
ゲラゲラゲラ

パクッ！
あ、花子《はなこ》さん……。
こんどは　おすしかめんが
立《た》ちむかいます。

ジャレダ！　行《い》くでスシ！
エイはつえーい（つよーい）!!
その　ていどか！
エイなんかえーいと　なげる!!

まけないでスシ！
つえは
つえーっ（つよい）!!

ゲラ
ゲラ
刀《かたな》が
かったな‼
にんじゃは
なんにんじゃ‼
これならどうジャーーッ！

刀《かたな》で　つえを　きられた
おすしかめんは、
おおぜいの
にんじゃに
まわりを
とりかこまれました。

「とうとう、おすしかめん　ひとりに　なって
しまったな！　たよりにしていた　友《とも》だちも
もう　いないぞ！　わあはははは……。」
マッキーも　花子《はなこ》さんも　ゲララに　食《た》べられ、
そして、おすしかめんまでもが
いま……。

そのとき、
どこからか　聞《き》きおぼえの　ある
あの　声《こえ》が　ひびいたのです。

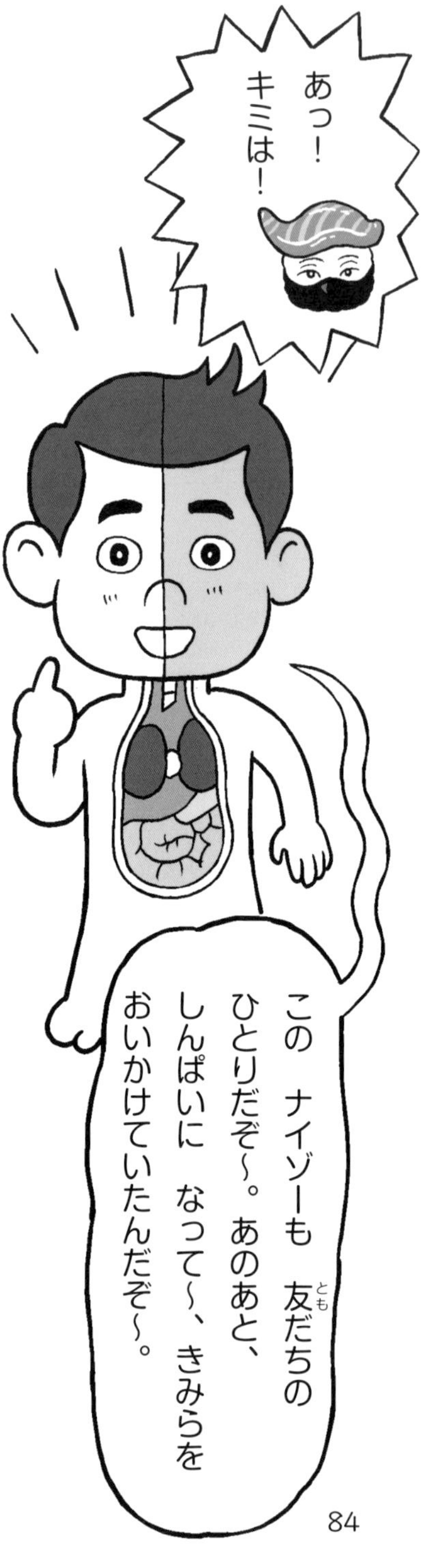
あっ！キミは！
この ナイゾーも 友《とも》だちの ひとりだぞ〜。あのあと、 しんぱいに なって〜、 きみらを おいかけていたんだぞ〜。

やっとのことで 体《たい》いくかんに
とうちゃくしたのは、ナイゾーでした。

そういうと、ナイゾーは ジャレノートを
ひろい、ダジャレを 書《か》こうとしました……が、

ジャレダ〜、オレが〜 あいてだ〜！

なにしろ うごきが のろい。その すきに、ジャレダに 先《さき》を こされて しまいました。

タイヤが たいあたり――っ！
のうが どこかに とんで、 オー、ノウー!!
うわ〜〜っ！
タ、タイヤは〜 いたいや〜……。
「オー、ノウ（ノー）！」は えいごで「ああ しまった！」という いみだよ。

すると、ナイゾーの　ないぞうが　きえて、
からっぽに　なってしまいました。

とどめジャ!!
人体《じんたい》もけいの
体《からだ》が　**からだ!!**

パックン
あーっ！ナイゾーくん！

「ふっ、じゃまな　友《とも》だちは
いなくなったな。
さあ、おすしかめん。
さいごは　オレさまと
一《いち》たい一《いち》で　ダジャレの
しょうぶジャー！」
「うむむ……。」
いよいよ、手《て》に　**スシ**　にぎる、
いや、手《て》に　あせ　にぎる
たいけつが　はじまりました。

四《よん》れんぞくダジャレジャーーッ!!
コアラの　コーラを　のんだら　こあらーっ!と
おこーられた!!
ならば　こっちは　これでスシーーっ!!
サバを　さばいて　さばくで　サバ食《く》う!
ごちそうさばーっ!!

なんと、おすしかめんはみごとな　五《ご》れんぞくダジャレでたいこうしたのです。

でも、ゲララは　わらいません。

それも　そのはず、じつはジャレダは　前《まえ》もって、ゲララに**イイナリずし**を　食《た》べさせていました。おすしかめんたちのダジャレには　わらわないようにいいつけていたのです。

さあ! ゲララ、
おすしかめんを
のみこんでしまうんジャ!
わああああーっ!

パックン!

ああ、おすしかめんまでが
ゲララに のみこまれて
しまいました。

ジャレダの　わらい声《ごえ》だけが　ひびきます。
そして、会場《かいじょう》の　子《こ》どもたちは
ひょうじょうの　ない　顔《かお》で　はく手《しゅ》を
しているのです。

パチ
パチ
パチ
パチ
パチ
パチ

わあはははははは!

するとゝ、とつぜん　ゲララが
大《おお》きな　せきを　しました。
そして、口《くち》から　なにか
かたまりを　はきだしました。

それは　なんと　のみこまれた
おすしかめんたちだったのです。

「え!! な、なぜジャ……。」

「あやうく わなに はまる ところだったで**スシ**。でも、ゲララに おすし**かめん**は、 **かめん!**」

すると、それを きいた ゲララが なみだを ながして、大《おお》わらいし、ころげまわりはじめました。

※64ページを
チェックしてみよう。
ハイパーワサビ
ハイパーワサビも
食《た》べさせるで**スシ**!

じつは、ゲララは　おすしかめんの
頭《あたま》に　入《はい》りこんでいた
わらいもちを
食《た》べてしまったのでした。

さらに、**ハイパーワサビ**まで
たんまり　食《た》べさせられた
ゲララは　みんなを　はきだし、
わらってしまうやら、からくて
ないてしまうやら。

そうとも　知《し》らない　ジャレダは、
大《だい》じゃの　心《こころ》をも　ゆさぶる
おすしかめんの　力《ちから》に
じぶんが　まけたと
思《おも》いました。

ば、ばかな。
ゲララが　おすしかめんの
ダジャレに　あんなに
わらっている!!
しかも　なみだまで
ながして……。

ジャレダが　すなおに
まけを　みとめると、
おそろしかった　すがたが、
少年《しょうねん》に　なっていました。
すると、　先生《せんせい》や
子《こ》どもたちも　元《もと》の　すがたに
もどったのです。

おすしかめん、ごめん。
ぼくは　子《こ》どものときから
ギャグを　いいあえる
友《とも》だちが　ほしくて、
人《ひと》に　ダジャレばかり
いわせていたんだ。そしたら　いつのまにか
あんな　ようかいに　なっちゃったんだよ。
もう、二《に》どと　わるいことは　しないよ……。

ふとんが
ふっとんだ
みんな
これ　いってみて!!
え〜……

ジャレダが　しみじみ　語《かた》っていると……。

なみ音《おと》が　体《たい》いくかんに　ひびき、
あの人《ひと》が　やってきました。
「**スシがみ**じゃあ〜〜〜っ！」
「あっ！　かみさま！」
「おすしかめんよ。みごとに
ジャレダを　つかまえたな。
スシバトンが　知《し》らせてくれた。
さあ、ジャレダ。
おまえは　ふたたび、どうくつの
ろうやに　入《はい》**ろうや**！」

「おまちください。もう　二《に》どと
ジャレダは　ようかいには
なりません。ジャレダには
友《とも》だちが　たくさんいまスシ。」

ぼくたち友《とも》だちでスシ！
えっ……！じゃあ、ぼくのことゆるしてくれるのかい？

みんなが、　コクリと　うなずくと、
マッキーが　リュックから　なにかを
とりだし、　おすしかめんに
手《て》わたしました。
それは　きゅう食室《しょくしつ》で
おばさんが　くれた
シュウマイと　**ニクマン**です。
「たたかいは　お**シュウマイ**！
つみは　にくんでも
人《ひと》は　**ニクマン**！　で**スシ**！」

つぎの日《ひ》の　ほうか後《ご》。
モンジャ小学校《しょうがっこう》の　校《こう》ていで
マグろうたちが　サッカーを
しています。

それにしても、
きのうの　おすしかめんって
いったい　だれだったのかな？
あ、そ、それは……。
ボクなんだよね～。
スカ
どうやら　ジャレダに
あやつられていたときの
きおくが　マグろうたちには
ないみたい。

いくら、頭《あたま》が 同《おな》じ
サーモンだからって、
じょうだんは よせよ。
しんじてよ〜〜。

スシオが むきになって いうと、
みんなの わらい声《ごえ》が 青空《あおぞら》に
ひびきわたりました。

（おしまい）

16～17ページの　答《こた》え

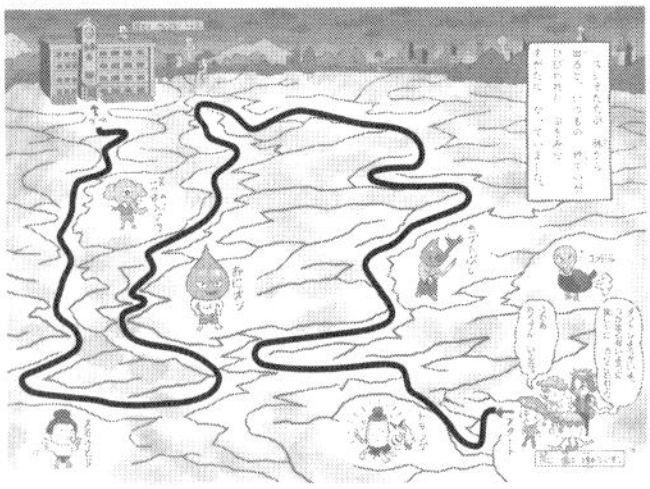

66～67ページの　答《こた》え

おすしかめんサーモン

ようかい ダジャレ 小学校

2021年12月28日　第1刷発行

作　土門トキオ
絵　川崎タカオ

発行人　小方桂子
編集人　工藤香代子
企画編集　永渕大河
校正　菊沢正子
デザイン・DTP　小林峰子

発行所　株式会社　学研プラス
〒141-8415　東京都品川区西五反田2-11-8
印刷所　図書印刷株式会社

この本に関する各種お問い合わせ先
●本の内容については、下記サイトのお問い合わせフォームよりお願いします。
https://gakken-plus.co.jp/contact/
●在庫については　Tel 03-6431-1197（販売部）
●不良品（落丁、乱丁）については　Tel 0570-000577
学研業務センター 〒354-0045 埼玉県入間郡三芳町上富279-1
●上記以外のお問い合わせは　Tel 0570-056-710（学研グループ総合案内）

マッキーの 家《いえ》

わたしの 家《いえ》は やおやさんよ。
わあ、行《い》って みたいなぁ！
いいわよ。
やおや まき八
ただいま〜
ここかぁ〜。
あれ？ かっぱの おきゃくさんばかり……。
うちは キュウリが せん門《もん》なの！
父
母
キュウリ 1本 200円
キュウリ 1本 100円

ゆっくりナイゾー

ナイゾーは いつから モンジャ小学校《しょうがっこう》に いるの？
え〜〜
と〜〜
……
コ、コマが 足《た》りないよ！
ね〜〜